COMME J'AI DIT... TU ES BRILLANT! MAIS CES TEMPS-CI, NOUS N'EMBAUCHONS PAS!

BONNE CHANCE, ARCHIE! JE SUIS DÉSOLÉ QUE CE NE SOIT PAS DIFFÉRENT!

C'EST BON! J'AI D'AUTRES PORTES OÙ ALLER COGNER!

PERSONNE N'EMBAUCHE! MERCI DE VOTRE TEMPS, M. LODGE!

ET COGNER AUX PORTES, IL LE FAIT... ENCORE ET ENCORE JUSQU'À EN AVOIR MAL AUX DOIGTS!

JE PEUX TOUT FAIRE! JE N'AI PAS QU'ENREGISTRÉ MES CHANSONS, JE SAIS TOUT FAIRE!

JACKPOT STUDIO REGISTREMENT

DÉSOLÉ, ARCHIE! ÇA ROULE AU RALENTI!

AUTOS EN BON ÉTAT

ET PERSONNE NE S'Y CONNAÎT AUTANT QUE MOI EN AUTOS!

LIS LES JOURNAUX, MON AMI! C'EST LA RÉCESSION!

$15.00

VENTE

NON! JE VEUX ÊTRE GÉRANT, PAS DERRIÈRE LE COMPTOIR!

VOILÀ NOTRE GÉRANT! ET JE SUIS CERTAIN QU'IL NE DONNERA PAS SON TRAVAIL À UN VIEUX!

STORE BUCKS

«UN VIEUX»?

ARCHIE D'AMOUR!

EH, ARCH! VIENS! ON DIRAIT QUE TU AS BESOIN D'UN SODA... OU DEUX!

ON REGARDAIT LES DERNIERS DÉTAILS DU MARIAGE, POP ET MOI! TES RECHERCHES D'EMPLOI ONT BIEN ÉTÉ ??

OK... EUH... PAS TANT QUE ÇA!

LES EMPLOIS SONT DURS À TROUVER CES TEMPS-CI!

SAUF POUR BETTY!

HEIN? BETTY? QUOI...?

OH...

JUGHEAD!

OUPS! DÉSOLÉ!

C'EST QUOI, CET EMPLOI SECRET, BETTY?

CETTE LETTRE VIENT D'ARRIVER! C'EST UNE OFFRE POUR ÊTRE ACHETEUSE JUNIOR CHEZ SACKS!

GÉNIAL!

...À NEW YORK!

QUOI?!

NEW YORK?!

MAIS... MAIS... TU AS UN BAC EN ENSEIGNEMENT!

J'AVAIS POSTULÉ À CE POSTE AVANT NOS FIANÇAILLES! JE VOULAIS ESSAYER MAIS C'EST CORRECT! JE VAIS RESTER ICI ET ENSEIGNER!

LE VENDREDI...

MARY, ME VOILÀ!

PRÊT POUR LE MARIAGE DE NOTRE FILS EN FIN DE SEMAINE?

TOUTE LA VILLE PARLE DU MARIAGE DE NOTRE GARÇON! JE NE COMPRENDS PAS!

HUM... C'EST SIMPLE, JE CROIS!

...C'EST UN **CONTE DE FÉES**, FRED! LA FILLE D'À CÔTÉ QUI DEVIENT LA FEMME DE L'HOMME DE **SES RÊVES!** ET ELLE ÉTAIT LÀ TOUT CE TEMPS!

TOUT LE MONDE AVAIT L'AIR ÉTRANGE, AUJOUR-D'HUI... LA MALADIE D'AMOUR!

VOYONS DONC... COMME QUI?

L'AUBE DU JOUR HISTORIQUE! LA FUTURE MARIÉE ET SES PARENTS SONT LES 1ERS À ARRIVER...

TOUT EST PRÊT, POP?

TOUT EST PARFAIT, MME C.!

ARCHIE & BETTY MARIAGE

C'EST MAGIQUE! MERCI, MERCI BEAUCOUP!

EXCUSEZ-MOI, LE MARIÉ CHERCHE LA NOCE!

ARCHIE D'AMOUR! ÇA Y EST, BÉBÉ! COMMENT AIMES-TU CE CLICHÉ? TU AS GAGNÉ LE GROS LOT!

PAR-TY! PAR-TY! PAR-TY!!

COMMENT VA LA DEMOISELLE D'HONNEUR, RONNIE?

REGGIE! ESCORTE-MOI À L'INTÉRIEUR ET QUAND JE TE LE DIRAI, TU ENLÈVERAS MON MANTEAU! J'AI UNE SURPRISE POUR LES MARIÉS!

OH-OH! VÉRONICA A L'AIR FÂCHÉ, C'EST TERRIBLE!

VOUS NE PENSEZ PAS QU'ELLE VA SABOTER LE MARIAGE?

LE SABOTER? NON! FAIRE DE L'OMBRE À BETTY? SÛREMENT!

JE L'AI FAIT MOI-MÊME! J'ESPÈRE QU'IL SERA BON!

AS-TU VU LA ROBE DE SOUS-SOL D'ÉGLISE DE BETTY! ATTENDS DE VOIR CE QU'ON DIRA DE LA MIENNE!

VAS-Y!

POURQUOI VEUX-TU AVOIR L'ATTENTION AU MARIAGE D'UNE AUTRE? SURTOUT CELUI DE TA MEILLEURE AMIE?!

MON GÂTEAU!

C'EST PAS GRAVE...

C'EST MA FAUTE D'AVOIR PENSÉ QUE JE POUVAIS LE FAIRE!

MAIS NON! ON NE POUVAIT PAS S'OFFRIR UN GÂTEAU... TU AS FAIT DE TON MIEUX ET JE T'AIME POUR ÇA!

QUE C'EST TRISTE! PAS DE GÂTEAU DE NOCES!

EH!

ELLE AURA UN GÂTEAU ET ELLE EN MANGERA! LE PLUS BEAU GÂTEAU AU MONDE!

REGGIE! IL ME FAUT QUELQUE CHOSE DE PLUS **APPROPRIÉ**! CETTE **ROBE**, ICI!

MAIS C'EST UNE ROBE DE SERVEUSE, RONNIE!

EH BIEN, ÇA FERA L'AFFAIRE! JE CROIS QUE JE LE MÉRITE!!

PHILIPPE? IL ME FAUT UN GÂTEAU DE LA TAILLE D'UNE AUTO... TOUT DE SUITE! **PAPA** PAIERA!

MAINTENANT, VA DIRE À BETTY QU'UN MAGNIFIQUE GÂTEAU S'EN VIENT!

DAMES

TU CHOISIS ÇA, PLUTÔT QUE ÇA?! AS-TU PERDU **L'ESPRIT**?!

NON, EN FAIT, JE VIENS DE LE RETROUVER!

DAMES

JE N'AURAIS JAMAIS PENSÉ VOIR LE JOUR OU MLLE «TOUT-TOURNE-AUTOUR-DE-MOI» AGIRAIT COMME ÇA!

SI TU ESSAIES DE ME **FLATTER** POUR SORTIR AVEC MOI... TU T'Y PRENDS VRAIMENT DE LA **PIRE** DES FAÇONS!

BIENVENUE, VOTRE HONNEUR!

ARCHIE ♥ BETTY

POP'S

BETTY... ARCHIE... ÊTES-VOUS PRÊTS?

OH, OUAIS!

ATTENDEZ! RON N'EST PAS LÀ! C'EST MA DEMOISELLE D'HONNEUR! JE NE PEUX PAS ME MARIER SANS ELLE!!

ARCHIE ♥ BETT

TA DEMOISELLE EST LÀ, BETTY! MAIS POUR L'HONNEUR, ON REPASSERA!

ON VEUT UN MARIAGE!

14

UNE NOUVELLE VIE! ARCHIE EST LÀ, BETTY EST LÀ ET... LA RÉALITÉ AUSSI!

JE SUIS EN RETARD!

JE DOIS PRENDRE LE TRAIN! JE SERAI DE RETOUR VERS 19 H!

PARFAIT, BETTY! JE PARIE QUE J'AURAI TROUVÉ UN TRAVAIL!

LA PREMIÈRE JOURNÉE...

ON PRÉVOIT UNE HAUSSE DE 4 % DANS LE RAYON JEUNE FILLE, MÊME AVEC L'ÉCONOMIE!

CASSIE! EUH... PATRON! J'AI FAIT QUELQUE CHOSE DE MAL?

TOUT EST PARFAIT! MAIS QUELLE 1RE JOURNÉE!

ET PLUS TARD... DE L'AUTRE CÔTÉ DE LA VILLE...

AUCUNE CHANCE! AHHH!

BYE! TA MUSIQUE EST MAUVAISE! C'EST QUOI DÉJÀ TON GENRE DE MUSIQUE, M. LE MÉNÉSTREL?

HÉ! HÉ! LÀ, J'AI UN POSTE À COMBLER! HÉ, LE JEUNE... TU JOUES DE LA GUITARE ET TU CHANTES?

FINALEMENT, LE PREMIER ÉVÉNEMENT DES ANDREWS À NEW YORK...

MON PREMIER SOUPER D'AFFAIRES ! JE SUIS NERVEUSE ! TU AURAIS DÛ METTRE UNE CRAVATE !

PERSONNE NE PORTE PLUS DE CRAVATE !

EH, CASSIE ! VOICI MON MARI, ARCHIE !

ALLÔ, ARCHIE ! TU AS UNE FORMIDABLE FEMME ! ET VOICI MON PATRON, M. HUGO !

M. HUGO, BETTY EST MA MEILLEURE JUNIOR !

JE NE SERRE PAS LES MAINS ! C'EST TOI, LE MARI QUI CHANTE ? ET ÇA, C'EST TON COSTUME ??

VOTRE MÈRE NE VOUS A PAS DIT DE NE PAS JUGER UN LIVRE À SA COUVERTURE ??

IL EST DRÔLE, HEIN ? MON MARI EST COMÉDIEN AUSSI... ET CHANTEUR, M. HUGO !

TRÈS MAUVAIS, EN PASSANT !

CE SONT MES PATRONS, ARCHIE ! C'EST EMBARRASSANT POUR MOI !

JE CROYAIS QUE LES GENS MARIÉS S'ÉPAULAIENT ! DÉSOLÉ DE T'AVOIR EMBARRASSÉE ! JE NE FAIS PAS PARTIE DE CE MONDE JE DEVRAIS PARTIR !

VOUS PARTEZ SI TÔT? J'AVAIS ESPÉRÉ QUE VOUS NOUS AURIEZ AMUSÉ EN CHANTANT ET EN BLAGUANT!

VOUS ÊTES **RUSTRE ET GROSSIER**! SI JE N'AVAIS PAS LA MOITIÉ DE LA CLASSE DE MON MARI, JE FRAPPERAIS VOTRE **PETIT NEZ** EN L'AIR!

BETTY! **ATTENDS**!

ES-TU FOLLE?! C'EST TON **PATRON**! TU NE POUVAIS PAS FAIRE ÇA!

IL LE **FALLAIT**!

JE **DÉMISSIONNE**!

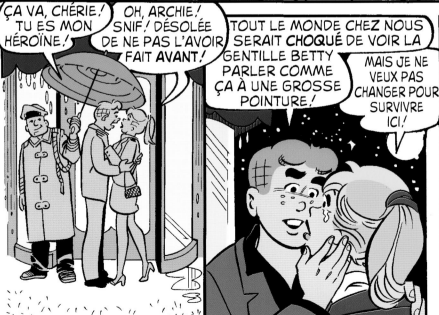

ÇA VA, CHÉRIE! TU ES MON HÉROÏNE!

OH, ARCHIE! SNIF! DÉSOLÉE DE NE PAS L'AVOIR FAIT **AVANT**!

TOUT LE MONDE CHEZ NOUS SERAIT **CHOQUÉ** DE VOIR LA GENTILLE BETTY PARLER COMME ÇA À UNE GROSSE POINTURE!

MAIS JE NE VEUX PAS CHANGER POUR SURVIVRE ICI!

ARCHIE... RENTRONS CHEZ NOUS! RETOURNONS À RIVERDALE!

AU MATIN, ON FAIT LES BAGAGES ET ON ANNULE LE CÂBLE...

NOK NOK

JE DÉTESTE DEVOIR SACRIFIER MA CARRIÈRE ARTISTIQUE, MAIS BON... SI NOUS PARTONS MAINTENANT, ON CÉLÈBRERA NOTRE 1ER ANNIVERSAIRE À RIVERDALE!

CASSIE!

RESTE!

J'AI BESOIN DE TOI! ET M. HUGO A APPRÉCIÉ TON **CARACTÈRE!** TU AS UN GRAND AVENIR AVEC NOUS!

MERCI, CASSIE, MAIS MON GRAND AVENIR EST AVEC MON MARI, DANS LA VILLE D'OÙ ON VIENT!

TU ES CHANCEUX, ARCHIE!

ET TU ES CHANCEUSE AUSSI, BETTY! SOYEZ HEUREUX!

ET... UN PETIT DEUX HEURES DE CONGESTION PLUS TARD...

MON PÈRE DIT QUE C'EST QUAND ON EST JEUNE QU'IL EST IMPORTANT DE SAVOIR CE QU'ON AIME ET CE QU'ON N'AIME PAS!

J'AI DÉCOUVERT QUE JE T'AIME!

AVANCE!

DE RETOUR À RIVERDALE...

JE VIENS DE TROUVER AUTRE CHOSE QUE JE N'AIME PAS, BETTY!

QU'EST-CE QUE C'EST, ARCHIE?

REVENIR CHEZ MES PARENTS APRÈS MON MARIAGE!

CE N'EST QUE **TEMPORAIRE**! M. WEATHERBEE A DIT QU'IL Y A UN POSTE OUVERT POUR MOI, À L'ÉCOLE SECONDAIRE!

MME RUDOLPH A DÉCIDÉ D'ALLER REJOINDRE SON MARI QUI VENAIT D'ÊTRE TRANSFÉRÉ À VANCOUVER!

...LE « BEE » VOUDRAIT TE VOIR DANS SON BUREAU, AUJOURD'HUI! C'EST IMPORTANT!

JE N'AI RIEN FAIT!

JE SUIS PERDU, M. WEATHERBEE! JE NE SAIS PAS...

IL FAUT DE LA PASSION, ARCHIE! TU L'AS POUR LA MUSIQUE ET J'AI BESOIN D'UN PROFESSEUR DE MUSIQUE! TU FERAIS LA DIFFÉRENCE!

BETTY ET MOI... TRAVAILLER ENSEMBLE? J'ACCEPTE! MERCI, M'SIEUR!

BIENVENUE PARMI NOUS, ARCHIE! BON RETOUR!

CE SOIR-LÀ, UN SOUPER DE 1ER ANNIVERSAIRE ROMANTIQUE...

QUI AURAIT PENSÉ QU'UN AN APRÈS, ON SERAIT DE RETOUR À PARTAGER UN SODA AVEC DEUX PAILLES, CHEZ POP?

TROIS! TROIS PAILLES!

VÉRONICA VA NOUS REJOINDRE COMME DANS LE TEMPS?

NON, PAS VÉRONICA... MAIS QUELQU'UN QUE TU VAS AIMER...

ARCHIE... JE VAIS AVOIR UN BÉBÉ!

GLUB!

ARCHIE!

UN GARÇON OU UNE FILLE?

24

MOOSE EST **AU COURANT**! IL A VRAIMENT CHANGÉ DEPUIS LE TEMPS, ARCHIE!!

LA SEULE CHOSE QUI A CHANGÉ SONT SES SOUS-VÊTEMENTS! IL VA VOUS FAIRE VOTRE FÊTE!!

EH! CONTENT DE VOUS VOIR, LES AMIS!

CALME-TOI, MOOSE! LE MEURTRE, CE N'EST PAS BIEN!

ME CALMER? ARCH, JE MÉDITE ET JE PRATIQUE LE YOGA TOUS LES JOURS! JE SUIS EN OSMOSE AVEC MON INTÉRIEUR!

JE SUIS EN **CONTRÔLE** ET J'AI MÊME FAIT UNE **THÉRAPIE**! MIDGE A EU RAISON DE ME QUITTER! JE ME SUIS **PRIS EN MAIN** ET JE CONNAÎTRAI BIENTÔT LE BONHEUR!

ET SI NOUS ALLIONS MANGER CHEZ POP?

J'AI OUBLIÉ... VOUS VENEZ JUSTE DE REVENIR APRÈS UN AN! CHEZ POP N'EXISTE PLUS!

ÉCOLE SECONDAIRE RIVERDALE

OHHHH! NE ME DITES PAS QU'ILS ONT OUVERT UN AUTRE CAFÉ?

NON! POP ÉTAIT PRÊT À PRENDRE SA RETRAITE ALORS, J'AI ACHETÉ LE RESTO! IL M'AIDE ENCORE UN PEU MAIS MAINTENANT, ÇA S'APPELLE...

J'AVAIS DES RAISONS SENTIMENTALES DE L'ACHETER! ET MIDGE M'AIDE!

WOW! EST-CE QUE TOUT ICI A CHANGÉ DEPUIS SEULEMENT UN AN?!

JUGGIE'S

JUGGIE'S

RONNIE! REGGIE!

JE TE CROYAIS EN EUROPE, MA BELLE!

JE SUIS EN VACANCES DE MES RICHES SOUPIRANTS PRÉTENTIEUX!

ES-TU SORTIE AVEC DES PRINCES?!

OU JUSTE DES GARS RICHES?

TOUTES CES RÉPONSES! LE PIRE A ÉTÉ UN PRODUC-TEUR DE FILMS!

JE NE COMPRENDS PAS! POURQUOI ES-TU RENTRÉE?

JE M'ENNUYAIS DE SORTIR AVEC DES GARS NORMAUX QUI ONT LES MÊMES RACINES QUE MOI... TU COMPRENDS?

ALORS, C'EST POUR ÇA QUE REGGIE EST ICI?

EH BIEN, JE SUIS RENTRÉE ET JE L'AI VU VENDRE DES AUTOS USAGÉES...

EXCUSE-MOI, MAIS JE VENDS AUSSI DES ASSURANCES ET DES BOÎTES DE JUS VITAMINÉ!

ALORS, REG ET TOI VENEZ DE VOUS REVOIR CHEZ POP... EUH... JUGGIE?

NON! IL M'A AMENÉE ICI... ET ENSUITE, L'IDIOT, IL M'A DEMANDÉE EN MARIAGE!

REGGIE A DEMANDÉ VÉRONICA EN MARIAGE?!? HAHAHAHAHAHA!!

HAHA... OUAIS, ET PUIS... BIEN, J'AI DIT OUI!

HAHAHAHAHA HAHAHA

JUGGIE'S

BURGER

REGGIE ET VÉRONICA! QUI L'EÛT CRU...

HEIN? QUOI? OUAIS...

J'AI VU TON EXPRESSION AU RESTO! TU CROYAIS QUE TU N'ÉTAIS PAS DE SON MONDE... ET MAINTENANT, C'EST REGGIE QUI AURA CE QUE TU VOULAIS!

C'EST FOU!

FOU?! TU CROIS QUE ÇA AURAIT DÛ ÊTRE TOI, N'EST-CE PAS?!

CE N'EST PAS ÇA DU TOUT!

BETTY!

MÊME LÀ... ÇA TOURNE ENCORE AUTOUR D'ELLE!

JE VEUX DIRE QUE C'EST FOU CE QU'ILS FONT! J'AI PEUR QUE ÇA FINISSE MAL ET QUE MES AMIS SOUFFRENT! BETTY.... IL N'Y A QUE TOI!

UNE NOUVELLE BELLE JOURNÉE À L'ÉCOLE SECONDAIRE...

RI-I-ING

POUR LUNDI... RECHERCHE SUR **ANDY HARDY** ET SON INFLUENCE SUR LA CULTURE POP!

LA MUSIQUE NOUS DÉFINIT! QUAND LES E.-T. INTERCEPTERONT LE **SATELLITE VOYAGER 1**, ILS ENTENDRONT LE CONCERTO N° 2 DE **BACH**!

VOUS AIMEZ LA MUSIQUE, M. ANDREWS...

...EN PLUS, VOUS AVIEZ UN **GROUPE ROCK**! COMMENT POUVONS-NOUS NOUS COMPARER AUX «**ARCHIES**»?

ON N'A PAS BESOIN D'UN AUTRE GROUPE «**ARCHIES**»!

ON A BESOIN D'**ANNABELLE** ET DE **CHARLOTTE**... ET DE **CÉDRIC** AUSSI! EXPRIMEZ-VOUS À TRAVERS LA **MUSIQUE**!

RI-I-ING

MME ANDREWS EST GÉNIALE! AVEC ELLE, J'AI LE GOÛT D'APPRENDRE!

M. ANDREWS **ADORE** LA MUSIQUE ET ME LA FAIT AIMER, AUSSI!

JE SAVAIS QUE BETTY FERAIT UN TRÈS BON PROFESSEUR... MAIS ARCHIE...?

MON FLAIR A EU **RAISON**! IL A TROUVÉ SA VOIE!

EH, JUG! QUOI DE NEUF?

APRÈS UN AN SANS S'ÊTRE VUS, ON A DU RATTRAPAGE À FAIRE! MIDGE VEUT VOUS INVITER À SOUPER, CETTE SEMAINE!

BONNE IDÉE! J'EN PARLE À BETTY! N'IMPORTE QUEL SOIR SERA BON!

PAS CETTE SEMAINE! ON A DÉJÀ NANCY ET MICHAEL DU TRAVAIL... PAUL ET GINA DES COURS PRÉ-NATALS... NOS PARENTS...

QUAND ALORS, BETTY?

JE SUIS TROP FATIGUÉE DURANT LA SEMAINE ET NOS FINS DE SEMAINE SONT DÉJÀ REMPLIES POUR LE MOIS PROCHAIN!

JE SUIS SÛRE QUE MIDGE ET JUG COMPREN-DRONT!

DANS UN MOIS?! ILS ONT CHANGÉ! ILS PRÉFÈRENT VOIR LEURS NOUVEAUX AMIS, ON DIRAIT!

MAIS NON! LAISSE-LES JUSTE SE RÉAJUSTER À RIVERDALE, MIDGE!

TU DIS TOUJOURS DU BIEN DES AUTRES! JE T'AIME POUR ÇA, MON JUGHEAD!

ET JE T'AIME ENCORE PLUS QUE... LES HAMBURGERS!

LE BÉBÉ DONNE DES COUPS ET JE SUIS ÉPUISÉE! POURQUOI NE SORS-TU PAS AVEC LES AMIS?!

NON! JE VAIS RESTER ET TRAVAILLER SUR MON OPUS!

MAIS REGGIE ET MOOSE SONT CHEZ JUGGIE!

ARCHIE N'EST PAS VENU NOUS VOIR DEPUIS QU'IL A DÉMÉNAGÉ!

IL EST MARIÉ, REG! LAISSE-LE TRANQUILLE!

AU MOINS, IL EST REVENU! PAS COMME DILTON!

JUGGIE'S

MENU

MON COUSIN M'A ENVOYÉ CET ARTICLE PARU DANS UN JOURNAL DU NOUVEAU MEXIQUE!

LA GAZETTE DE ROSWELL

DOILEY DÉCOUVRE UN UNIVERS PARALLÈLE ET DISPARAÎT

DILTON DOILEY

OH! C'EST ÉTRANGE!

PLUS ÉTRANGE QU'ARCHIE QUI ÉPOUSE BETTY... MIDGE QUI ÉPOUSE JUGHEAD... OU TOI, FIANCÉ À VÉRONICA?

LA VIE EST FAITE DE SURPRISES!

LA GAZETTE DE ROSWELL

LOCAL

COMME TOI QUI EST PLUS MATURE QUE NOUS TOUS?

HEUREUSEMENT, ON N'EST PLUS AU SECONDAIRE!

ROSWE

AHH... LA FIN DE SEMAINE ARRIVE...

JE VAIS ROULER ET REVENIR DANS QUELQUES HEURES!

ÇA TE VA?

EUH... MAIS... ES-TU SÛR QU'ON EST VRAIMENT PRÊTS POUR L'ARRIVÉE DE NOTRE BÉBÉ?!

VOYONS, LE DOC DIT QU'IL RESTE DES JOURS... MAIS LAISSE-MOI TE MONTRER CE QUE J'AI FAIT!

J'AI LE NUMÉRO DE L'AMBULANCE JUSTE ICI S'IL EST TROP TARD POUR QU'ON SE RENDE NOUS-MÊMES!

POLICE - 555.3456
FEU - 555.7890
AMBULANCE 555.1234
VILLE 555.9876

VOILÀ LES BAGAGES... PARFAIT! ET ICI, NOUS AVONS LES TRUCS POUR LE BÉBÉ... **PARFAIT!**

« ÇA NE PEUT PAS MAL ALLER! »

ENCORE UNE CHOSE, ARCHIE...

APPELLE LE DOCTEUR! J'AI PERDU MES EAUX! IL EST TEMPS D'ALLER À L'HÔPITAL!

NE PANIQUE PAS.' **NE PANIQUE PAS.'** LAISSE-MOI M'OCCUPER DE ÇA.'

TRAVAUX PUBLICS DE RIVERDALE.'

MA FEMME A PERDU SES CLÉS.' NON.' JE VEUX DIRE QUE J'AI UN DÉGÂT D'EAU.'

DONNEZ-MOI VOTRE ADRESSE, J'ENVOIE QUELQU'UN.'

1941, RUE DALPÉ.'

KLIK

EUH... VOUS AVEZ DIT «AMBULANCE» ...HEIN?

ET BIENTÔT... MAIS **PAS** ASSEZ VITE...

LES CONTRACTIONS SE RAPPROCHENT BEAUCOUP, ARCHIE.'

OÙ SONT-ILS?.' ÇA FAIT DÉJÀ CINQ MINUTES.'

NOK NOK

ÊTES-VOUS LE GARS QUI A UN **PROBLÈME D'EAU**? ON A COUPÉ L'EAU DANS TOUT LE VOISINAGE, MAIS...

TRAVAUX PUBLICS

QUOI?.' VOUS ÊTES SUPPOSÉ ÊTRE UN AMBULANCIER.' VITE, LE PLAN «B».'

AHHH.'

OUF ⚡! OUF ⚡! MA FEMME ACCOUCHE!

QU'A-T-IL DIT? «MA FLÛTE À BOUCHE!»

QU'A-T-IL DIT?

NON, CERVELLE D'OISEAU! ELLE! «BÉBELLE À L'EAU»! VITE!

PLAN «D»? PLUS OU MOINS...

IL NOUS FAUT DE L'AIDE! MON BÉBÉ VA AVOIR UNE FEMME!!

RESTEZ CALME, M'SIEUR! ON RESTE ZEN!

ADMISSION

VOS CONTRACTIONS SONT AUX...?

JE N'AI PAS DE CONTRACTIONS!

AUX HUIT SECONDES ENVIRON!

HUIT SECONDES?!

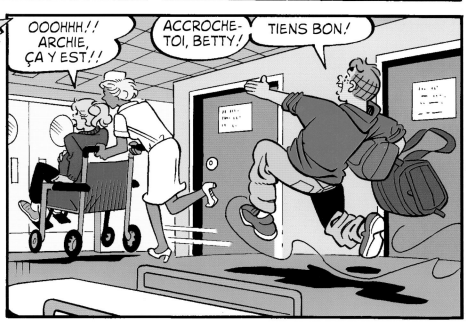

OOOHHH!! ARCHIE, ÇA Y EST!!

ACCROCHE-TOI, BETTY!

TIENS BON!

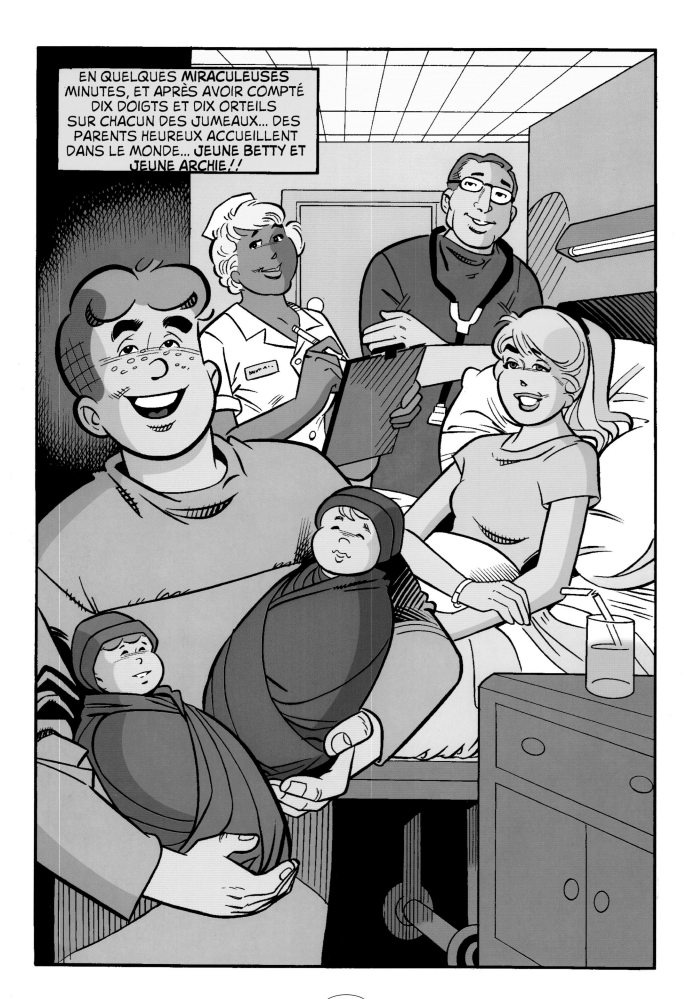

EN QUELQUES *MIRACULEUSES* MINUTES, ET APRÈS AVOIR COMPTÉ *DIX DOIGTS* ET *DIX ORTEILS* SUR CHACUN DES *JUMEAUX...* DES PARENTS HEUREUX ACCUEILLENT DANS LE MONDE... *JEUNE BETTY* ET *JEUNE ARCHIE!!*

M'MAN! P'PA!

OH, BETTY! MON BÉBÉ A DES BÉBÉS!! ILS SONT SI BEAUX! TU ES SI BELLE!

BEAU TRAVAIL, FISTON!

M'MAN! P'PA!

LES BÉBÉS ET BETTY SONT EN PLEINE FORME?

ON VA TRÈS BIEN, FRED!

C'EST TOUT CE QUI COMPTE!

EEEEEEEEEE!!

JUG, MIDGE ET TOI SEREZ-VOUS PARRAINS DE JEUNE ARCHIE?

ARCH... JE... JE... SNIF! CE SERA LE PLUS GRAND HONNEUR DE MA VIE....!

EEEEEEEEEE!!

JUMEAUX?! JE N'AURAIS JAMAIS CRU ÇA DE TOI, MON VIEUX! C'EST UN GRAND JOUR!

OUAIS, MERCI!

JE N'AI PAS SU APPRÉCIER CE QUE J'AVAIS AVANT DE LE PERDRE! NE FAIS PAS LA MÊME ERREUR!

JAMAIS, RONNIE! MERCI!

MOOSE! COMMENT AS-TU SU QUE BETTY A ACCOUCHÉ?

J'ÉTAIS ICI POUR UN COURS PRÉNATAL ET EN PLUS, L'HÔPITAL EST EN ÉBULLITION!

COURS PRÉNATAL?! MOOSE!!

HA! IL EST BRILLANT! BONNE FAÇON DE SOCIALISER! POURQUOI N'Y AI-JE PAS PENSÉ AVANT?!

HEIN? OH... NON! JE PRENDS CE COURS POUR LES TECHNIQUES DE RESPIRATION! ÇA M'AIDE DANS MA GESTION DE LA COLÈRE!

WOW, MOOSE! TU AS VRAIMENT CHANGÉ!

BETTY ANDREWS

MIGNONS! ALORS, ARCH... BETTY... À QUI CROYEZ-VOUS QU'ILS RESSEMBLENT?

EH BIEN, PEUT-ÊTRE QUE TU N'AS PAS CHANGÉ TANT QUE ÇA, MOOSIE! JE SUIS CONTENTE!

HÔPITAL DE RIVERDALE

EEEEEE!EEEE!

LAISSEZ-MOI VOIR CES MAGNIFIQUES BÉBÉS!!

ETHEL! CHERYL! CHUCK! NANCY! FRANKIE! MARIA!

ENTREZ!

FÉLICITATIONS, BETTY ET ARCHIE!!

WOW! VENEZ!

RON, ARCHIE ET MOI AIMERIONS QUE TU SOIS LA **MARRAINE** DE JEUNE BETTY!

MOI?! OH, BETTY! C'EST LE PLUS BEAU JOUR DE MA VIE!

PAR LE FAIT MÊME, TU SERAS LE **PARRAIN**, REG...!

ON SERA QUITTES ALORS, PARCE QUE RONNIE ET MOI VOUS VOULONS COMME TÉMOINS À NOS NOCES, À VEGAS!!

TOUT LE MONDE SORT... **TOUT DE SUITE!**

C'EST UNE **CHAMBRE D'HÔPITAL**, PAS UN CENTRE DE CONGRÈS!

41

MAIS, RONNIE... JE NE CROIS PAS QU'ARCHIE ET MOI AYONS LES MOYENS D'Y ALLER...

COMMENT OSES-TU?

COMMENT PEUX-TU PENSER QUE PAPA NE PUISSE NOUS PRÊTER SON JET PRIVÉ ET RÉSERVER UN HÔTEL COMPLET AVEC CASINO POUR LA FIN DE SEMAINE?

ET QUAND AURA-T-IL LIEU, CE MARIAGE?

LE WEEK-END PROCHAIN, QUAND TU AURAS QUITTÉ L'HÔPITAL!

ET J'AI DÉJÀ EMBAUCHÉ DES INFIRMIÈRES POUR PRENDRE SOIN DES JUMEAUX!

BETTY ANDREWS

ET, COMME VÉRONICA LODGE L'AVAIT DIT, ET TEL QU'IL ÉTAIT ÉCRIT... QUELQUES JOURS APRÈS...

ALORS, RONNIE... QUI SERA LE CÉLÉBRANT DE TA CÉRÉMONIE DE MARIAGE?

EUH... QUI D'AUTRE QUE...

AIR LODGE

L'ÉNERGIE D'ARCHIE REVIENT VITE À TRAVERS SA PASSION À ENSEIGNER LA MUSIQUE...

SALLE DE MUSIQUE

Aujourd'hui : pratique!

JULIETTE... METS-Y TON ÂME!

KIM... JOUE COMME SI C'ÉTAIT IMPORTANT! LES GARS... JOUEZ ENSEMBLE! IL N'Y A PAS DE PLACE POUR UNE SUPER STAR!

VOTRE MUSIQUE EST TROP DIFFICILE! ON EST JUSTE DES ENFANTS!

PEU IMPORTE CE QUE VOUS ÊTES! VOUS ÊTES DES MUSICIENS! QUE MA MUSIQUE SOIT LA VÔTRE!

PSST! CE GARS EST UN ESCLAVAGISTE!

C'EST PEUT-ÊTRE CE QU'IL NOUS FAUT!

C'EST LUI LE CHEF! ÉCOUTONS-LE!!

ON ENREGISTRE! PRISE UN : « NOUS DEUX ENSEMBLE » DE ARCHIE ANDREWS... JOUÉ PAR LE CLUB DE ARCHIE!

45